Tatiana Belinky

# Diversidade

Ilustrações
**Gilles Eduar**

2ª edição

FTD

Copyright © Tatiana Belinky, 2015
Todos os direitos reservados à
**EDITORA FTD S.A.**
Matriz: Rua Rui Barbosa, 156 – Bela Vista – São Paulo – SP
CEP 01326-010 – Tel. (0-XX-11) 3598-6000
Caixa Postal 65149 – CEP da Caixa Postal 01390-970
Internet: www.ftd.com.br
*E-mail*: projetos@ftd.com.br

**Diretora editorial** Ceciliany Alves • **Gerente editorial** Valéria de Freitas Pereira • **Editora** Cecilia Bassarani • **Editora assistente** Agueda C. Guijarro del Pozo • **Preparadora** Elvira Rocha • **Revisora** Bruna Perrella Brito • **Editora de arte** Andréia Crema • **Projeto gráfico e diagramação** Sheila Moraes Ribeiro • **Digitalização e tratamento de imagens** Ana Isabela Pithan Maraschin • **Diretor de operações e produção gráfica** Reginaldo Soares Damasceno

**Tatiana Belinky** nasceu em São Petersburgo, Rússia, em 1919. Migrou para São Paulo, Brasil, com a família aos 10 anos, onde se tornou uma das escritoras mais importantes da literatura infantojuvenil. Foi responsável pela adaptação para a televisão da primeira versão do *Sítio do Picapau Amarelo*, de Monteiro Lobato. Faleceu em 2013, aos 94 anos.

Dados Internacionais de Catalogação na Publicação (CIP)
(Câmara Brasileira do Livro, SP, Brasil)

Belinky, Tatiana, 1919-2013.
 Diversidade / Tatiana Belinky ; ilustrações Gilles Eduar. — 2. ed. — São Paulo : FTD, 2015.

 ISBN 978-85-20-00090-8

 1. Literatura infantojuvenil  I. Eduar, Gilles.  II. Título.

15-00518                                      CDD-028.5

Índices para catálogo sistemático:
 1. Literatura infantil    028.5
 2. Literatura infantojuvenil    028.5

A - 921.452/24

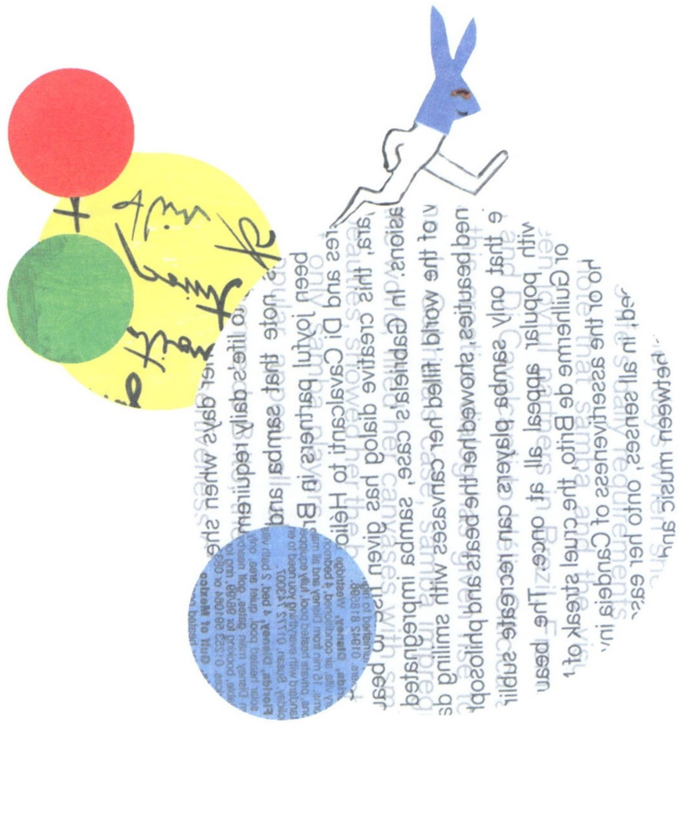

Um é feioso
Outro é bonito
Um é certinho
Outro, esquisito

Um é magrelo
Outro é gordinho
Um é castanho
Outro é ruivinho

Um é tranquilo
Outro é nervoso
Um é birrento
Outro é dengoso

Um é ligeiro
Outro é mais lento
Um é branquelo
Outro é sardento

Um, preguiçoso
Outro, animado
Um é falante
Outro é calado

Um é molenga
Outro é forçudo
Um é gaiato
Outro é sisudo

Um é moroso
Outro é esperto
Um é fechado
Outro é aberto

Um, carrancudo
Outro, tristonho
Um, divertido
Outro, enfadonho

Um é enfezado
Outro é pacato
Um é briguento
Outro é cordato

De pele clara
De pele escura
Um, fala branda
O outro, dura

Olho redondo
Olho puxado
Nariz pontudo
Ou arrebitado

Cabelo crespo
Cabelo liso
Dente de leite
Dente de siso

Um é menino
Outro é menina
(Pode ser grande
Ou pequenina)

Um é bem jovem
Outro, de idade
Nada é defeito
Nem qualidade

Tudo é humano
Bem diferente
Assim, assado
Todos são gente

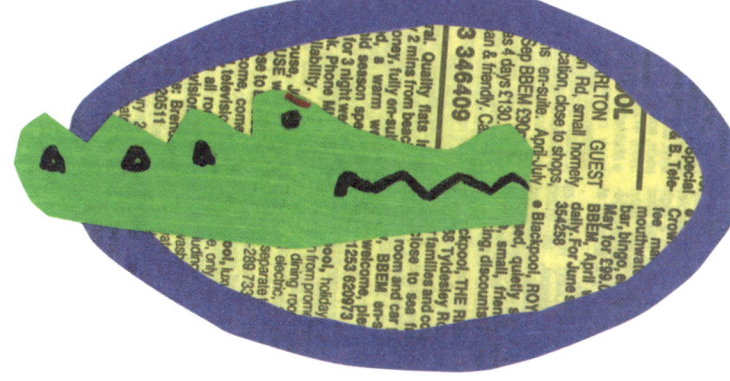

Cada um na sua
E não faz mal
Di-ver-si-da-de
É que é legal!

Vamos, venhamos
Isto é um fato:
Tudo igualzinho
Ai, como é chato!

Quem foi
# Tatiana Belinky

Tatiana nasceu em São Petersburgo, na Rússia, em 1919, e faleceu em São Paulo, em 2013, aos 94 anos.

Chegou ao Brasil em 1929, com seus pais e dois irmãos mais novos. Contava que aprendeu o português depressa, para poder ler, e logo se deslumbrou com a maravilhosa literatura infantil de Monteiro Lobato.

Foi casada com o psiquiatra e educador Julio Gouveia, com quem teve dois filhos e de quem sempre falava com muito carinho. Trabalhou como tradutora de livros em russo, alemão e inglês, e foi colaboradora de grandes jornais. Durante 13 anos, foi roteirista do teleteatro infantojuvenil brasileiro. Escreveu centenas de peças, adaptações de clássicos da literatura brasileira e estrangeira, inclusive a primeira versão do *Sítio do Picapau Amarelo* para TV. Orgulhava-se de fazer os roteiros direto na máquina de escrever, sem rascunho e sem precisar corrigir.

Deixou inestimável legado para a literatura infantil brasileira, com numerosos textos originais, em prosa e verso, além de traduções, adaptações e recontos.

Quem é
# Gilles Eduar

Desde pequeno, gosto de desenhar: em casa, na escola e, depois, na faculdade de Arquitetura. E, mesmo quando me dediquei à carreira de músico, nunca parei de desenhar.

Morei na França, na década de 1990, onde trabalhei na livraria de livros infantis do Museu do Louvre. Essa experiência foi fundamental para começar a escrever e ilustrar livros para crianças. Nessa mesma época, tive meus primeiros livros publicados na França. Hoje tenho mais de 30 livros publicados e traduzidos em vários países.

Gosto de escrever minhas próprias histórias, mas receber da FTD um texto da Tatiana Belinky para ilustrar foi um presente.

Resolvi seguir o espírito aventureiro dessa grande escritora e criar ilustrações a partir de colagens, lápis de cor, guache, tinta acrílica, tudo junto. Seu texto bem-humorado, simples e sofisticado foi de grande inspiração.

Impresso no Parque Gráfico da Editora FTD
Avenida Antonio Bardella, 300
Fone: (0-XX-11) 3545-8600 e Fax: (0-XX-11) 2412-5375
07220-020 GUARULHOS (SP)

São Paulo - 2024

# SUPLEMENTO DE LEITURA

## Diversidade

Tatiana Belinky

Ilustrações
Gilles Eduar

Nome do aluno: _____ Ano: _____

Nome da escola: _____

**1.** No livro *Diversidade*, a autora nos faz imaginar várias pessoas.

   **a)** As pessoas são todas iguais? Pinte sua resposta.

   NÃO    SIM

   **b)** Como essas pessoas são?

   _____
   _____

**2.** O poema nos apresenta uma série de diferenças entre as pessoas. Cite algumas dessas diferenças.

   _____
   _____
   _____
   _____

---

**8.** Com as letras da palavra DIVERSIDADE podemos formar muitas outras. Forme palavras e escreva-as no quadro.

D I V E R S I D A D E

_____
_____
_____
_____

**9.** Estamos rodeados de diferenças. Olhe ao seu redor e escolha um colega. Desenhe vocês dois e, em seguida, liste as diferenças entre vocês.

_____
_____
_____
_____

Elaboração: Ana Paula M. Marcon

**3.** Classifique as palavras do quadro.

FELIZ
COLEGA
BRILHANTE
PIANISTA
ARTISTA
ESTUDANTE
VALENTE
PACIENTE

| SUBSTANTIVO | ADJETIVO |
|---|---|
| | |
| | |
| | |

Os substantivos desta atividade possuem uma característica em comum. Você sabe qual é?

_____
_____

**4.** Agora, com as palavras da atividade anterior, forme frases bem criativas!

_____
_____
_____

**5.** Substitua os desenhos pelas sílabas correspondentes e descubra a frase misteriosa.

| SI | GAL | DI | QUE | DA | LE | VER | DE | É |

_____
_____ !

**6.** O livro *Diversidade* é composto por quadrinhas rimadas. Complete o quadro com duas palavras que rimam com:

| BRINCAR | IMAGINAÇÃO | DIVERSIDADE |
|---|---|---|
| | | |
| | | |

**7.** Agora, crie uma quadrinha usando algumas palavras da atividade anterior.

_____
_____
_____
_____